Valérie Perreault

Illustrations de Jean Morin

Clément et Julien sont deux frères.
Ils aiment rire, s'amuser et relever de
nouveaux défis. Les deux font la paire et,
de ce fait, une équipe du tonnerre.
Leur troisième aventure débute lors
d'une rencontre inoubliable.

Catalogage avant publication de Bibliothèque et Archives
nationales du Québec et Bibliothèque et Archives Canada

Perreault, Valérie, 1968-

Zazou

(M'as-tu lu? ; 26)
Pour enfants de 7 ans et plus.

ISBN 978-2-89595-322-7

I. Morin, Jean, 1959-   . II. Titre. III. Collection.

PS8631.E775Z29 2008   jC843'.6   C2008-941350-4
PS9631.E775Z29 2008

Auteure : **Valérie Perreault**
Illustrateur : **Jean Morin**
Graphisme : **Julie Deschênes et Geneviève Guénette**

Dépôt légal – Bibliothèque et Archives nationales du Québec,
3e trimestre 2008

ISBN 978-2-89595-322-7

Gouvernement du Québec – Programme de crédit d'impôt
pour l'édition de livres – Gestion SODEC

Boomerang éditeur jeunesse remercie la SODEC pour l'aide
accordée à son programme éditorial.

Nous reconnaissons l'aide financière du gouvernement du
Canada par l'entremise du Programme d'aide au développement
de l'industrie de l'édition (PADIÉ) pour nos activités d'édition.

Imprimé au Canada

Imprimé sur du papier Rolland Enviro100, contenant 100 % de fibres recyclées après
consommation.
Le choix de ce papier a permis de réduire la production de déchets solides de 175 kg,
100 % la consommation d'eau de 16 571 l et de gaz naturel de 25 m³, les matières en
suspension dans l'eau de 1,1 kg, les émissions atmosphériques de 385 kg et de sauver
6 arbres.

www.boomerangjeunesse.com
info@boomerangjeunesse.com

① LA RENCONTRE

Au tout début de l'été, Clément, Julien et Moue Hette découvrent une *magnifique* créature paisiblement assoupie sous les branches d'un arbre. Curieux, ils s'en approchent sur la **pointe des pieds**. Malgré leurs précautions pour ne pas la déranger, Zazou se réveille en **sursaut**.

— N'aie pas peur ! dit Clément. Nous ne te voulons aucun mal.

Elle les fixe alors du regard puis se met à battre des cils.

C'est le

COUP de FOUDRE !

Depuis, le trio n'a d'yeux que pour cette échalote qui n'en finit plus de les émerveiller.

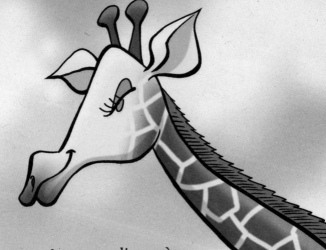

Tous les samedis après-midi, ils lui rendent visite.

— Sera-t-elle là ? s'inquiète Moue Hette.

— J'en suis convaincu ! lance Clément, dont le cœur **bat la chamade**.

— Tu es sûr ? demande *nerveusement* Julien.

Tout en marchant, Moue Hette propose à ses compagnons d'initier Zazou à l'art de jouer à cache-cache comme le font Grand-Minou et Grand-Dédé[1].

[1] Lire ou relire la deuxième aventure de Clément et Julien,
À la recherche de Grand-Dédé.

— Elle est trop grande et elle ne sait pas écrire, font remarquer les garçons.

Arrivés sur les lieux, déception. Leur amie manque à l'appel.

— **Quel dommage !** *SOUPIRE* Moue Hette. Je lui avais apporté un sac de pastilles en chocolat[2].

— Et nous, un DVD, ajoute Julien.

— Allons voir ses voisins, suggère Clément. Ils devraient savoir où elle se trouve.

---

[1] Lire ou relire la première aventure de Clément et Julien, *Un trésor dans mon château.*

❷
AURIEZ-VOUS VU ZAZOU ?

Clément entreprend de scruter les alentours sans pour autant apercevoir le moindre voisin.

— Mais où sont-ils tous?

— En hibernation ! dit Moue Hette.

— Sornettes, fait Julien. C'est l'été !

Tel un bon éclaireur, il balaie des yeux les parcs avoisinants. En un rien de

9

temps, il repère d'abord Sumatra et Mali dînant en *tête* à **tête** derrière un bosquet, puis Dao et Khi se **balançant** main dans la main à l'abri des regards et, finalement, Fantine et Caméla assises jouant aux échecs.

— D-7, barrit tout à coup Caméla.

Étonnés, Clément et Moue Hette se **RETOURNENT VIVEMENT**.

— E-8, réplique Fantine, dont le roi est menacé.

— Demandons à l'un de ces **MAS-TODONTES**, déclare l'aîné des deux frères.

— **SILENCEEEEEEE !** barète Caméla en déplaçant une pièce du jeu. **Échec et MAT !**

Les deux bêtes se **LÈVENT** alors et s'approchent *l e n t e m e n t* de Clément, qui recule de quelques pas.

— Que puis-je faire pour t'aider ? grogne Fantine.

11

— Auriez-vous vu Zazou? demande-t-il poliment.

— **QUI?** fait Caméla.

— Votre voisine! dit Julien.

Tandis qu'elle se creuse la tête, Moue Hette affirme:

— Son arrivée fut pourtant remarquée!

— **Chouette, une histoire!** font l'hippopotame et l'éléphant en s'assoyant **LOURDEMENT**.

❸
LE TRAIN, L'HÉLICOPTÈRE, LE BATEAU

— Il y a quelques années, débute Moue Hette, un ouragan s'est **ABATTU** sur la résidence de Zazou.

— Du jour au lendemain, elle s'est retrouvée sans abri, explique Julien.

— Pour remédier à la situation, ses propriétaires l'ont invitée à s'établir ici, poursuit Clément.

13

— Ravie, Zazou s'est empressée de faire ses valises.

— Cependant, le jour de son départ, elle a refusé de GRIMPER dans le camion qui devait l'amener vers son nouveau chez-soi.

— On lui a donc proposé de prendre le train.

«**Comment éviterai-je le plafond des tunnels ?** a-t-elle gémi. **Je ne vais tout**

de même pas risquer de me faire arracher la tête!»

— On lui a alors proposé de voyager en hélicoptère.

«Comment ferai-je pour rentrer dans l'habitacle? a-t-elle rouspété. **Je ne me vois tout de même pas les quatre pattes fixées aux pales!»**

— Enfin, on lui a suggéré de prendre le bateau.

« **Où dormirai-je ?** a-t-elle protesté. **On sait combien on est à** l'étroit **dans ces cabines !** »

— Voiture, trottinette, sous-marin, patins à roues alignées, voilier, motocyclette, fusée, aucun de ces moyens de locomotion ne convenait à Zazou.

« **Je sauterai EN PARACHUTE** », a-t-elle finalement déclaré à ses propriétaires sur un ton qui n'admettait pas la réplique.

À ces mots, Fantine et Caméla **s'esclaffent**. Séchant ses larmes, cette dernière dit :

— Est-ce possible ? Je ne me suis jamais autant dilaté la rate.

— Comment tout cela s'est-il terminé ? demande Fantine.

— Aimeriez-vous visionner le DVD ? offre Clément en appuyant sur un des boutons de la télécommande qui apparaît comme par enchantement dans ses mains.

Interloqués, les deux animaux restent pantois et ajustent leurs lunettes afin de ne rien manquer.

❹
LE GRAND SAUT

Le chef d'antenne Ben de Brux apparaît à l'écran.

— Allons rejoindre le journaliste Ray Porteur et sa cadreuse Kass Koo, dit-il. Ils sauteront avec Zazou et diffuseront ses **prouesses** en direct.

À ces mots, la foule scande le décompte traditionnel.

19

−10, 9, 8

La caméra fait un **GROS PLAN** sur Zazou qui s'assure que son parachute est bien attaché.

−7, 6, 5

On la voit ensuite vérifiant son casque et ses gants.

−4, 3, 2

Puis, fermant les yeux et respirant profondément.

−1, 0!

Tel un oiseau, elle prend son envol. Ainsi commencent sa descente et le reportage.

— **Quelle grâce !** s'exclame Ray Porteur.

−OOOOOOOOh!

fait l'auditoire estomaqué.

— Zazou effectuera tout d'abord un vol plané, explique le journaliste.

— **Aaaaaaaah!**

font les spectateurs.

— Puis, elle exécutera quelques **pirouettes**.

— **Hooooooon!**

s'écrie l'assistance inquiète.

— Dans quelques secondes, Zazou tirera sur le cordon qui libèrera son parachute, continue Ray Porteur.

Le **cœur** de Fantine et Caméla cesse momentanément de battre pour reprendre un rythme normal une fois le parachute déployé.

— **Oufffff !**

fait la foule rassurée.

— Zazou est à 1 500 mètres de son point d'atterrissage.

Effrayés, les deux **MASTO-DONTES** se couvrent les yeux. Zazou profite alors du décompte de la foule pour se refaire une beauté.

— **10, 9, 8**

— Elle peigne sa crinière, dit Ray Porteur.

— **7, 6, 5**

— examine ses sabots

— **4, 3, 2**

— et met du rouge à babines, rap-
porte le journaliste.

1, 0!

Les prochaines images montrent
Zazou atterrissant gracieusement.

— **Bravo !** s'exclament l'éléphant et l'hippopotame.

Alors que l'image disparaît, Fantine dit :

— Je veux la rencontrer !

— Moi de même, lance Caméla.

⑤
MAIS OÙ DONC EST ZAZOU ?

— C'est ÉTRANGE ! dit Julien. Ni l'une ni l'autre ne se souvient de cette échalote et de son arrivée.

— Ce fut pourtant mémorable, SOUPIRE Clément.

— C'est l'heure du bain, fait soudainement Caméla.

— Puis de la sieste, ajoute Fantine.

Après avoir promis de leur présenter Zazou, le trio quitte les deux amies. Au lieu de s'inquiéter, Julien suggère d'aller voir Dao et Khi.

— Ils sauront peut-être où se trouve notre amie.

Les voyant s'approcher de leur maison vitrée, les deux primates cessent de se **balancer**. Curieux, ils s'avancent et s'assoient en face d'eux. Puis, ils les observent longuement. De leur côté, Clément, Julien et Moue Hette en font autant. Au bout de quelques minutes, Khi se **LÈVE** et hurle :

— Que puis-je faire pour vous aider?

— Auriez-vous vu Zazou? bafouille Clément.

— Qui? crie Dao.

— Votre voisine! dit Julien.

Tandis que Dao et Khi se grattent la tête, Moue Hette déclare:

— Son arrivée fut pourtant remarquée !

— **Chouette, une histoire !**
grognent les singes en retournant se **balancer**.

6

ZZZZZZZZZZZZ

— Tout a commencé quelques instants après l'arrivée de Zazou, débute Moue Hette.

— En apercevant son lit, elle s'est mise à **pleurer à chaudes larmes**, dit Julien.

— Pour la réconforter, ses propriétaires lui ont proposé de récupérer sa natte, poursuit Clément.

— Consolée, Zazou a pris son mal en patience.

— Pourtant, lorsque la paillasse est arrivée, elle a refusé de s'y coucher.

— On lui a alors offert de prendre un bain.

« **Comment m'y assoirai-je ?** a-t-elle gémi. **Et choisir entre l'huile de sauge et l'huile de thym n'est pas évident**. »

— Puis, on lui a proposé de faire du yoga.

« *Qu'utiliserai-je comme tatami ?* a-t-elle observé. **Ne risquerai-je pas de me disloquer les jointures ?** »

— Enfin, on lui a suggéré de visionner un DVD.

« **N'endommagerai-je pas mes yeux ?** a-t-elle protesté. **De toute manière, j'ai déjà vu tous les films à la mode.** »

— Massage, douche, collation, jogging, chanson, marche, méditation, jeux de société, rien ne convenait à Zazou.

« **J'aimerais que Fanfreluche**[3] **me lise** *Le dodo des animaux*[4] », a-t-elle exigé.

Dao et Khi s'exclament à l'unisson :

— **Tu parles d'une demande ! Comment tout cela s'est-il terminé ?**

— Aimeriez-vous visionner le DVD? demande Clément en pressant sur un des boutons de la télécommande qui apparaît à l'improviste.

Ravis, les deux primates s'empressent de s'installer confortablement dans leurs chaises looooongues.

3 Fanfreluche (interprétée par Kim Yaroshevskaya) est une poupée assise sur une grande chaise. Elle lit des histoires dans son grand livre de contes.

4 Album illustré de Gilles Tibo publié chez Dominique et Compagnie.

7

FANFRELUCHE VA RACONTER⁵

Le chef d'antenne Ben de Brux apparaît à l'écran.

— Allons rejoindre Ray Porteur et Kass Koo pour cette **PREMIÈRE MONDIALE**, dit-il.

— Plusieurs **créaTures** se sont assemblées autour de Zazou pour entendre son histoire préférée, explique le journaliste.

⁵ Phrase fétiche tirée de l'indicatif de l'émission de télévision Fanfreluche.

Fanfreluche ouvre alors son grand livre de contes et commence son récit.

Lorsqu'elle décrit le bloc de glace dont l'ours polaire rêve depuis toujours pour dormir, Zazou est secouée de frissons.

Lorsqu'elle décrit le crocodile retirant son dentier avant de s'assoupir dans son lit duveteux, Zazou TREMBLE DE FRAYEUR.

Finalement, elle se met à frétiller lorsque Fanfreluche décrit la girafe empilant une série de coussins **multicolores**.

— C'est à n'y rien comprendre, marmonne Ray Porteur. Elle devrait dormir.

Tout à coup, Zazou s'empare des coussins sur lesquels sont assises les bêtes qui l'entourent.

— Il est à moi! glapit l'une d'elles.

— C'est le mien! résiste l'autre.

Alors que s'engage la bataille, Ray Porteur commente :

— **Quelle lutte** épique! Qui va l'emporter?

— Est-ce possible? fait Dao. Je ne me suis jamais autant dilaté la rate.

— Zazou profite du **brouhaha** pour empiler les coussins récupérés, poursuit-il. Puis, elle s'agenouille, y dépose la tête et s'endort.

— Voilà une créature qui sait ce qu'elle veut! conclut le journaliste étonné.

Alors que l'image disparaît, Dao dit :

— Je veux la rencontrer!

— Moi de même, fait Khi.

8

ZAZOU SERAIT-ELLE INTROUVABLE ?

— C'est ÉTRANGE ! remarque Julien. Ni l'un ni l'autre ne se souvient de Zazou et de sa première nuit.

— Ce fut pourtant remarquable, rappelle Clément.

— C'est l'heure de notre entraînement, dit tout à coup Dao.

— Et de notre collation, ajoute Khi.

Après avoir promis de leur présenter Zazou, le trio quitte les singes. Au lieu de s'inquiéter, Julien suggère d'aller voir Sumatra et Mali

— Ils sauront certainement où se trouve notre amie.

En voyant Clément, Julien et Moue Hette se glisser derrière les barreaux de leur cage, les deux félins se mettent en position d'attaque.

— **QUE VOULEZ-VOUS ?** rugit Sumatra.

— Euh... où est Zazou? demande Clément en **sur^{sau}tant**.

— *QUI ?* feule Mali en s'approchant de lui.

— Votre voisine ! précise Julien.

Tandis que les félins se concertent, Moue Hette dit :

— Son premier repas fut pourtant inoubliable !

43

—Chouette, une histoire!
ronronnent Sumatra et Mali en se couchant côte à côte.

9

LA DENT SUCRÊE

— Le lendemain de son arrivée, Zazou s'est levée l'estomac dans les talons, commence Moue Hette.

— En apercevant son déjeuner, elle a refusé d'y toucher, ajoute Julien.

« Ça n'a pas l'air appétissant ! » a-t-elle lancé.

— Pour remédier à la situation, ses propriétaires lui ont promis de lui cuisiner une délicieuse salade d'épinards à l'orange, poursuit Clément.

— Ravie, Zazou s'est pourléché les babines tout l'avant-midi.

— Cependant, lorsqu'on lui a servi sa salade, Zazou n'avait plus envie d'en manger.

— On lui a alors proposé de lui apporter de la ratatouille du restaurant de Rémi le rat.

« **De la rata quoi ?** a-t-elle dit. **Je n'ai jamais ingurgité cela de ma vie et je ne commencerai pas aujourd'hui !** »

— Puis, on l'a invitée à faire la cuisine.

« **Où trouverai-je mes feuilles d'acacia ?** a-t-elle demandé. **De plus, j'ai égaré mon livre de recettes**. »

On lui a donc suggéré de passer une commande auprès de son restaurant préféré.

« **Ne risquerai-je pas d'engraisser avec tous ces gras trans dans les plats à emporter ?** a-t-elle protesté. **Trouvez-moi autre chose !** »

Spaghetti, tourtière, sushi, fajitas, crêpes, quiches, chili, saumon en croûte, pain de viande, purée de pois chiches, aucun de ces repas ne convenait à Zazou.

«**J'aimerais que Fritz Kado me cuisine des tartelettes aux pacanes**», a-t-elle finalement annoncé.

— **Hilarant !** font les félins.

Séchant ses larmes, Sumatra dit :

— Tu parles d'une fringale ! Je ne me suis jamais autant dilaté la rate.

— **Comment tout cela s'est-il terminé ?** veut savoir Mali.

— Aimeriez-vous visionner le DVD ? demande Clément en pressant sur un des boutons de la télécommande qu'il tient.

Curieux, le tigre et le lion se couchent devant l'écran.

49

10

RETOUR À LA RÉALITÉ

Le chef d'antenne Ben de Brux apparaît à l'écran.

— Allons rejoindre Ray Porteur et Kass Koo, dit-il.

— Fritz Kado est sur le point de commencer sa recette, commente le journaliste pendant que sa cadreuse **ZOOME** sur Zazou qui SALIVE abondamment.

— En premier lieu, débute le chef cuisinier, il faut...

Tout à coup, il se met à pleuvoir.

— Bôtan Movètan avait pourtant dit que ce serait une journée ensoleillée, se plaint Clément en regardant le ciel.

Puis, il met le DVD à pause et dit à ses amis qui disparaissent tour à tour sous la pluie diluvienne :

— ***Courez vous mettre à l'abri !***

Resté sur place, Clément reçoit de plus en plus de grêlons sur la tête.

Aïe ! aïe ! aïe ! Attendez-moi !

— Réveille-toi ! dit Julien en lui lançant des peluches.

— Quoi ? fait son frère en s'assoyant tout droit dans son lit. Qu'est-ce qu'il y a ?

— **Lève-toi !** insiste Julien. Nous sommes attendus au zoo.

— **Pourquoi ?** s'étonne Clément, légèrement sonné par ce **bombardement** de peluches.

— Nous allons visiter la girafe que nous avons adoptée il y a quelques semaines.

— **Zazou !** lance Moue Hette en souriant.

— Elle ne manque donc pas à l'appel ! s'exclame Clément en sautant hors de son lit. Ce n'était qu'un rêve !

Et il entreprend de le raconter à Julien et à Moue Hette.

GLOSSAIRE

Voici un synonyme ou une courte définition des mots écrits en rouge dans le roman.

Acacia : arbre à branches épineuses

Assoupi : à moitié endormi

Bafouiller : parler de façon embarrassée

Barrir : pousser un cri (pour un éléphant)

Battre la chamade : battre à grands coups sous l'effet de l'émotion, en parlant du cœur

Bosquet : petit groupe d'arbres ou d'arbustes

Brouhaha : bruit confus

Cadreuse : personne qui manipule une caméra

Déployé : développé dans toute son extension, largement ouvert

Dilaté : dont le volume est augmenté

Épique : héroïque

Estomaqué : étonné

Feuler : pousser un cri (pour un félin)

Frétiller : s'agiter

Fringale : faim

Gémir : se plaindre

Glapir : pousser un cri bref et aigu

Ingurgité : mangé

Locomotion : action de se déplacer

Mastodontes : animaux énormes

Natte : tapis

Paillasse : matelas

Pales : parties d'une hélice

Pantois : dont le souffle est coupé par la surprise

Pluie diluvienne : pluie très abondante

Pourlécher (se) : se passer la langue sur les lèvres

Primates : animaux incluant notamment les singes

Rate : organe du corps humain

Scruter : examiner avec soin

Sonné : secoué

Sornettes : propos frivole

Tatami : tapis de sol japonais

LA LANGUE FOURCHUE

Écris tes réponses sur une feuille blanche et compare-les avec celles du solutionnaire en page 62.

1. Quand le cœur d'une personne bat à grands coups, il bat...

a. la mesure ;
b. la chamade ;
c. le fer.

2. Quand une personne fait un grand effort de réflexion, elle se creuse...

a. le pied ;
b. la tête ;
c. la dent.

3. Quand une personne pleure abondamment, on dit...

a. qu'elle est au bord des larmes ;
b. qu'elle verse des larmes de crocodile ;
c. qu'elle pleure à chaudes larmes.

4. Quand une personne raffole des desserts, elle a...

a. la dent cariée ;
b. la dent brisée ;
c. la dent sucrée.

5. Quand une personne rit beaucoup, elle se dilate...

a. la rate ;
b. l'estomac ;
c. le foie.

M'AS-TU BIEN LU?

Voici un quiz qui te permettra de voir si tu as bien lu *Zazou*.

Écris tes réponses sur une feuille blanche et compare-les avec celles du solutionnaire en page 62.

1. Quel est le nom de la girafe que Clément, Julien et Moue Hette ont adoptée?

a. Zazoom
b. Zazette
c. Zazou

2. Que fait la girafe une fois son parachute déployé?

a. Elle fait des mots croisés.
b. Elle se refait une beauté.
c. Elle attache ses souliers.

3. Quel est le nom du personnage qui lui raconte son histoire préférée?

a. Pikachu
b. Optimus Primus
c. Fanfreluche

4. Que vole la girafe aux bêtes qui l'entourent?

a. Des coussins
b. Des mocassins
c. Du pain

5. Qu'ont en commun tous les animaux de cette aventure ?

a. Ils adorent jouer aux échecs.
b. Ils aiment se balancer.
c. Ils aiment se faire raconter des histoires.

6. À la fin du livre, on découvre que

a. Clément a trop mangé ;
b. Clément a tout inventé ;
c. Clément a rêvé.

LA LANGUE FOURCHUE

Question 1: la réponse est b.
Dans le chapitre 1, lorsque Clément pense à Zazou, son cœur bat la chamade. Cela veut dire que son cœur bat très fort.

Question 2: la réponse est b.
Lorsque Clément demande à Fantine et Caméla si elles ont vu Zazou, elles se creusent la tête pour tenter de se souvenir de cette voisine. Cela signifie qu'elles font un grand effort.

Question 3: la réponse est c.
En apercevant son lit, Zazou se met à pleurer à chaudes larmes. La girafe pleure beaucoup, car son nouveau lit est tout à fait différent de son ancienne paillasse.

Question 4: la réponse est c.
Le titre du chapitre 9 rappelle au lecteur que Zazou a la dent sucrée, c'est-à-dire qu'elle raffole de tout ce qui a le goût du sucre.

Question 5: la réponse est a.
Vers la fin de l'histoire, Sumatra et Mali se dilatent la rate en apprenant que Zazou désire qu'on lui cuisine des tarte- lettes aux pacanes. Autrement dit, ils rient beaucoup.

M'AS-TU BIEN LU?

Question 1: c
Question 2: b
Question 3: c
Question 4: a
Question 5: c
Question 6: c